그루터기

이다윗 시집

그루터기

발 행 | 2023년 12월 06일
저 자 | 이다윗
펴낸이 | 한건희
펴낸곳 | 주식회사 부크크
출판사등록 | 2014.07.15.(제2014-16호)
주 소 | 서울특별시 금천구 가산디지털1로 119 SK트윈타워 A동 305호
전 화 | 1670-8316
이메일 | info@bookk.co.kr

ISBN | 979-11-410-5764-0

그루터기

이다윗 시집

CONTENT

작가 소개

이다윗 만 20세.(뇌병변, 중증장애)
초등학교 6학년 당시
시집 '지혜로움을 걷는 아이'를 출간함.
경기도 안성에서 부모님,
그리고 여동생 두 명과 함께 살고 있다.

하나님께서 주신 자연 속 보금자리에서
성경과 자연을 깊이 묵상하고 관찰하며
시를 써왔고, 몸은 조금 불편하지만 그 누구
보다 자유로운 영혼임을 자부하며 계속해서
시뿐 아니라 소설, 희곡 등에도 관심을 가져
앞으로 나아갈 준비를 하고 있다.

최근 쓴 희곡으로는 역시 동명의 창작시를
바탕으로 한 동화극 '발자국'이 있다.
표지 그림은 동생 이한나 작품이다.

머리말

첫 시집을 내던 2015년 가을 저는
시의 세계는 무엇으로, 어떻게 이루어
져 있는지에 대한 지대한
호기심을 갖고 있었습니다.
또 당시 표현으론 글감이라는
나뭇가지 위에 비유라는 하나의
깃털이 살짝 얹혀지면 시가 탄생하고
그것들이 모여 시집이라는 큰
열매가 맺어진다고 생각했죠.
지금 돌이켜보면 참 순수했던 시절이
었습니다.
12살 당시에 저의 궁금증은 지금도
여전하고 시가
가져다주는 세계를 사랑하는 마음은
확실히 아직도 그때 그대로임을
자부할 수 있어요.

그저 1집에 이어 2집을 내고 시인 활
동을 계속 할 수 있어서 기쁘고
모든 과정을 인도해 주신 하나님께
감사할 뿐입니다.
제 시와 글을 읽어 주시는 모든 분들
사랑하고 축복합니다!!

2023년 가을
이다윗

봄바람

이다윗

봄이 깊어가고
더 깊어가면
차분히 들려오는
봄바람의 발소리.

먼 길 쉬어 가라는
꽃들의 권유에
발소리 줄이고
간질간질 겸손한
산들바람이 되네.

나뭇잎을 한가득 안고
꽃들과 악수를 주고받으며
산으로 들로
모든 봄을 품으러 다니는
봄바람.

겨울에 엄격한 자신만 기억하는
새봄의 얼굴들에게
낡은 옷을 벗어 던지듯
사납게 몰아치던 옛 시절을 맡기며

비록 꽃샘추위가 달려와
앞으로 조금, 아주 조금은 다시 사나워질지언정
끝까지 우정을 지켜 나가네.

봄 내내
작은 파도나 그리며 놀던
봄바람이
이젠 다같이 여름을 준비하자 외치면
드디어 찾아오는 여름과
떠나는 봄바람.

시골길

이다윗

항상
시골의 이런저런
볼맨소리 들으며
달려야만 하는
시골길.

돌이 가로막고
흙이 투덜거리면
둘의 이야기
다 들어 주느라
자동차는
속도를 내지 못하네.

도시의 길들 흉내 하나
안 내고서
제 갈 길 가는 이들 모두에게
기쁨으로 시골 이야기 들려주는
정 가득한 시골길.

때로는
비나 눈이 와도
도시의 도로처럼
쿨하게 놓아주지 않아
위험한 길이라는
소리 들어도

시골길 다녀간
수많은 차들에게
시골의 흔적을 나눠주는 일로
항상 기분 좋은
시골길.

사춘기

이다윗

나는 사춘기 안 온다고
목에 힘주고 외치던
소년에게
불쑥 찾아온
반갑지 않은 손님
사춘기.

사춘기엔
순종은 강요로,
걱정은 간섭으로,
속상함은 불평으로까지
참 다양한 색깔의
생각의 꽃이 피어나네.

대화의 화단을 넘어
서로서로 조금씩
다양한 생각의 꽃밭을 걸어보며

십자가 사건에 휘말리듯
서로의 오해와 불평을
꽃가루같이 휘날려
이해해 가는
자유와
모험의 시간들 속
흘러가는 세월.

새해엔
부디 이 시간들이 모여
사춘기 역사를 매듭짓기를
제일 먼저 간절히 바라네.

여름

이다윗

여름이 다가오면
언제나 쌓여가는
봄바람과 태양의 우정

그 둘의 우정이
따뜻하다 못해 불타오르면
어느덧 계절의 문을 넘어
여름은 찾아오네.

우아했던 봄바람이
꾸벅꾸벅 졸기 시작하는 날이면

여름은
모든 나뭇가지마다
자신이 머물
푸른 녹색 집을 짓고 그 위에 앉아
여름의 시작을 알리네.

장마는
젊은 여름의 심장 소리.
빗방울이 하나둘 떨어질 때마다
여름의 심장소리
선명하게 들려오네.

크고 작은 나무들이
알록달록한 자연의 시계가 되어
가을을 가리키면
여름은 떠나고
어느덧 가을이
단풍과 함께 미소 지으며
찾아오네.

가을 나무

이다윗

가을은
책 읽기 좋은 계절.
나무도
책을 읽고 싶었던 걸까.

바람 칼이 몰아치기 시작할 때면
나무들은
봄과 여름을 살아온
자신의 경험들
책으로 엮어
숲 속을 책으로 덮어가네.

나무는
멋진 작가.
책을 완성한 뒤에도
끊임없이 책 내용을
다듬어 가네.

너무 꼼꼼하게 다듬어
책들이 거의 아래로 떨어지면
나뭇가지 책장 위에 달린
마지막 나뭇잎 책 몇 권
꽉 잡고 있다가도
겨울이 오면
미련없이 떨어트리는 나무.

나무는 이제
새 경험을 쌓으려고
또 한 번 깊은 잠에 빠져드네.

할아버지 생신

이다윗

할아버지 생신 날
촛불로 타오르는 백발의 면류관
불꽃이 되어
창가에 깔리고

연기와 함께 들려오는
100번째 촛불의 속삭임
방 안을 가득 채우네.

한 해를 보낼 때마다
늘어나는 모든 세월의 촛불
머리에 모두 이고 지내
어느덧 무거워진
케이크의 어깨를

모두 모여
축하의 박수로
가볍게 만드네.
할아버지의 인생들이

세월의 촛농으로 녹아 있는
뜻깊은 하루
할아버지 생신
좋은 추억으로
영화로운 하루를 채워 나가네.

하루하루 불빛을 밝히며
미래에 갈
주님 나라를 준비하는
할아버지 생신 날.

민들레

이다윗

오늘도 시작되는
민들레의 하루는
순수함 가득한 눈으로
세상을 바라보며
씨앗들을 키우는
소박한 일상.

일상 속
자신의 소원들을
하얗게 풀어
씨앗으로 쏟아 놓고

철 없는 바람이 찾아와
민들레의 옷자락 잡고
때쓸 때마다
자신의 소원을 나눠주며
행복해 하네.

씨앗들 다 보내고
탈모 현상으로 고생하다가도
위로의 줄기 붙잡고
하루하루 일어서 가는
꿋꿋한 민들레.

그래도 끝까지 함께하겠다고
몇 개 안 남은 씨앗들도 날려
마음을 전하네.

자신의 긴 손으로
씨앗들을 계속 하늘로 보내
자손들과 영토를 늘리며
미소의 향기를 날리는
우체부 민들레.

꿈나라 여행

이다윗

"세상에서 표현 못한
많은 일들
꿈나라로 가져오세요"

"아름다운 시어들과
무한한 상상력들 모두
현실로 바꿔드립니다"

꿈나라의 속삭임이
들려오네.

꿈나라에서 펼쳐지는
꿈들의 잔치에 데려가 달라고
사정사정하며 때쓰다
홀로 침대에 남게 된 아쉬움에
잠버릇으로 침대를 다 어지르고는

결국 꿈나라까지 따라가
신나게 놀며

하얀 잠꼬대가 되어가네.

밖에서는 안 그랬는데
꿈나라에만 오면 느려지는
나의 발걸음.

아직 더
꿈나라를 탐험해야 하는데
엄마의 깨우는 소리가
벌써 들려오네.

다시 시작되는 하루를 살아 나가며
다음 꿈을 상상해 만들어가는
꿈나라 여행.

바람의 노래

이다윗

아침이 되면
언제나 찾아오는
바람의 노래 속삭임.

오늘
바람이 연주하는 악기는
과연 무엇일까.

바람의 손끝에서 전해지는
푸른 편지들의 춤 물결
바람의 속삭임을 전하며
가슴들 깊히 파고들고

바람의 몸짓이 파도칠 때마다
모든 식물
살랑살랑 춤추고 노래하니
바람도 덩달아 신이 났네.

갈 곳 못 찾고
이리저리 떠돌다
스스로 강해져 돌아온
바람

때로는 고요한 하프로
때로는 열정의 바이올린으로
찾아가네.

불타는 열정으로
하루하루를 살아가며
매일 새로운 악기로 불어오는
바람의 노래.

봄눈 2

이다윗

겨울이 다 간 것 같은
어느 날부터
수줍게 찾아오는
봄의 손님
봄눈

해마다
잠깐만이라도
계절의 시계를
겨울로 돌려보려는
봄눈들의 도전이 시작되네.

구름 의자 박차고 일어나
하늘길을 제 집 삼아
자유로이 활보하다가도
봄에 대한 배려심으로
금세 자리를 비켜주고 만
봄눈 형제

봄의 감시를 피해
아무 상의도 없이
조용히 내리다가 올해도
소리 없이
사라지고 말았네.

그래도 언젠가는
봄에도 내리고 싶은 우리 소원을
봄이 알아주지 않을까
이해해주지 않을까
기대를 져버리지 않고
해마다 꾸준히 찾아와
배려의 눈물 흘리고 가는
봄눈

운동

이다윗

다리가 칭얼대고
허리가 짜증 내도
나는 운동을 합니다.

운동이란
미래라는 건물의
든든한 설계도 같은 존재이기에

게으름들이
내 속에서
장난처럼 통증에 불을 질러도
늘 극복해 나간답니다.

운동을 해나갈 때마다
조금씩 더 노력하고 싶은
내 마음을
게으름이 따라가 줄까

꼭 이해해 달라는

낮은 마음으로
일곱 빛깔 무지개 같은
다양한 얼굴의 일주일을
채워 나가며

빨리 포기하라고
너무 힘들다고
그 누가 고함을 질러도

어느덧 열매로 맺힌
크고 작은 노력들이
한치의 부끄럼 없이
내 미래에 당당히 설 수 있도록
오늘도 시작된 노력 승부
운동을 시작합니다.

농사

이다윗

겸손한 얼굴들이
모여 자라고 있는
텃밭에선

몸들의 불평 소리를
멀리하면 시작되는
농사의 고통.

태양 의사가
텃밭에 찾아와
식물들에게
좋은 처방을 내려 주길
간절히 바라는 마음들이

내리쬐는 가뭄과 그 어떤 손길에도
모여 일을 시작하네.

그리고 들려오는
흙의 속삭임을
가만 가만 들어보면
이제 곧 나갈 수 있다고.

나갈 거라고
어린 새싹들을 안심시키는 소리.

두려워하는 새싹들에겐
위로의 소리로
싹을 틔워주고
새싹을 만날 생각에
벌써부터 신난
삽의 손바닥은
몇 번이고 드나들며
흙과 새싹을 만나네.

빗방울은 새싹의 친구.
그런 빗방울이 너무 좋은 새싹이
땅속에서 자꾸만 폴짝거리면
새싹은 자라가고

무럭무럭 자라라는
격려의 한마디 한마디와 함께.

농사 전체를
흐뭇함으로
물들여 주네.

잡초

이다윗

오늘도
뽑힐까 봐 조마조마
불안한
잡초.

난
잡초가 아니라고
쓸만한 풀이라고
다른 이름을 지어달라고
간절히 외치네.

소심하게 숨어들었지만
사람의 손길을 원하다가도
나오기는 싫어하며

사람들에게 관심받고 싶어
조금만 신경쓰지 않아도
금세 늘어나는 잡초의 소원
그리고 아기 잡초들.

그래도 언젠가는
내 소원을 알아줄 것이란
믿음으로
어디든 거닐며 성숙해지네.

어느덧 잡초는
자신들 소원을 뽑아가는
사람들을 바라보며
기쁨으로
다음 소원을 준비하네.

피아노

이다윗

피아노를 열면
시작되는
건반과의 대화.

때로는 소리를 지르고
때로는 조용히 속삭이며
대화에 몸을 맡기면
처음 만나는 노래와도
친해질 수 있기에

오늘도
피아노를 치네.

손가락이 직접 찾아가
이루어지는
건반과의 소통.

하얀 웃음으로,
검은 열정으로,

모든 건반이 어우러져
지금도 노래하네.

여러 건반이
손에 손을 잡고 연주하며
우정을 키우고

오늘도
아름답게 이어지는
피아노 연주.

산사태

이다윗

오직
힘자랑만 하고 싶은
그들만의 무대
산사태.

산의 친구
빗방울과 모래가
모두 모여
집을 삼키고 사고를 치면
산의 위험한 잔치는
금세 끝나버리네.

마치 사춘기 온
아이처럼
아무리 마음 깊이 담아
간절히 소리쳐도

산의 두 손바닥
우리를 비웃듯

거칠게 밀려오네.

숨어 있다가도
금세 집에서 달려 내려와
자연을 모두 쏟아 놓는
두 얼굴과

벽을 가르고
되레 소리 지르는
순수하지만 살벌한
산의 호기심.

작게 시작해
크게 끝나버리는
그들만의 파티
산사태.

촛불

이다윗

인내심을 갖고
천천히 기다리면
아름답게 타오르면서

먼저 다가가면
급히 숨어 버리는
내겐
조금은 섭섭한
촛불.

그런 촛불에겐
자신의 한계로
서서히 쓰러져갈 때마다
항상 힘이 돼 주는
촛대가 있네.

나는
사람들이 너보다
덜 기억해줘도
너만 잘 타올라주면 기쁘다고
말 한 마디 외치고는

촛농으로 녹아내리는
촛대의 눈물.

그런 촛대의
아픔도 몰라주고
철없이 지내던 시절도 있었지만

촛불의 입술이
기쁨으로 타오를 때면
조용히 숨어 주었던
촛대가 있었기에

촛불은 어느덧
생각 깊히 타오르는
불꽃이 되어
흐뭇한 미소로
곳곳을 밝히네.

온 몸으로 활기차게 손짓하며
연기 될 때까지
길동무 돼 주는 촛불의 하루는

오늘도
높게 출발해
참 겸손하게 끝나네.

노을

이다윗

겸손히
더 겸손히
오늘 저녁에도
기울어져 가는
태양의 고개.

뒷짐 진
산의 얼굴 뒤로
서서히 걸어 내려가며
발산되어지는 태양의 진한 눈빛
노을.

마중 나온
자연의 관중들 모두
정성스레 고개 숙여
바라보며 미소 짓고

이 멋진 저녁 풍경
욕심 없이

물감 풀듯 곳곳에 풀어
조금씩 그림 그리는
하늘의 화가 태양.

불꽃 물감 온 몸으로 쏟아 부어
구름을 그리다
실수로 하늘의 불 질러
아무리 창피 당해도

태양의 오늘이
그대로 스쳐간 하늘 위엔
어느덧 노을이
불타고 있네.

오늘도
노을 길 따라
하늘 아래로 저물어 가며

저 지평선 너머로
아름다운 퇴장
온 몸으로 선보이는
노을과 태양.

새벽

이다윗

밤도 아니고
아침도 아니면서
조심스레 밝아오는
애매한 얼굴
새벽.

아침과 밤
둘 사이에서
새벽은 오늘도
양다리 걸치고 앉아 있네.

새벽이슬들 눈동자 부릅뜨고
하나둘 새벽을 지키고 서면
이슬 경호원들과
친해져 가는
새벽을 위한 새벽 시간.

아침과 밤 모두와
사이 좋게 어울리며

한걸음 한걸음
하늘 마당을 향해 걸어가는
새벽.

한마디 한마디
새벽의 소리들이 들려오네.

새벽은
멋진 소설가.
모두가 자고 있는 시간
아무도 모르게
자신만의
소설을 쓰면

밝아 오는 새 아침과 함께
가장 미련 없는
새벽 소설의 결말이
완성되네.

연말

이다윗

유난히 절벽처럼
다가오는 12월의
연말.

한 해에 일어난
기쁨과 감사를
다 기억하지 못해
아쉬운 연말의 하루하루 속에서

그동안
주님이 베푸신 은혜가 너무 커
망설이며
은혜들을 마음에 눌러 담고
새해를 향한 여정을
시작하네.

영화 예고편을 만들 듯
새해의 예고편을
어느 정도 그리는 시간

연말엔

시간들이 손잡고
다같이 만든
1년이란 시간 속에서
감사를 찾아 가네.
또 한편으론
12월이란 도미노가
차례차례 무너지면
새해부터는 그것들을
다시 쌓아 가리라 다짐하며

한 해의 다리 끝에서
1월이라는 새 친구
새 달력과 만나는 날까지
주님께 감사하며 마무리하는
기쁜 연말.

복음 2

이다윗

복음을 신고
말씀을 입고
십자가의 도 들고
달려가는 기쁨.

복음 전하던
구약의 선지자들 마음
전도 여행을 위해
배에 오르던
신약의 바울 마음
그대로 가슴에 품고

투덜거리는 손발들과
복음의 길 위에 있을지라도
십자가의 도가 미련하게
들려오는 귀들이 있을지라도
말씀의 꽃가루와 함께 피어난
복음 이야기들로
이미 아름다운 여정들.

아담 시대와
노아 시대를 넘듯
십자가 하나
말씀 하나도
신중히 집어들고
전 세계를 누비는 발걸음과
주님의
감사와 은혜로 가득한 우리들.

하루하루
복음 소설의 결말이 맺어지길
겸손히 불타는 노을과 함께
예수님의 재림을 기다리네.

졸업

이다윗

몇 그릇의 나이를 먹어도
절대 더 채워주고는 싶지 않아
슬쩍 미루고 보는 그 이름
졸업.

어딘가를 안다녀
경험해보지 못해
졸업을 몰라
떠오르는 이런저런 핑계에

어떤 단어들로 표현할까
망설였어도
결국에 다가온 현실만큼은 알 만해
아쉬움에
적어보이는 한줄의 씁쓸함.

천천히 오라고 전했던
나의 모든 신신당부 비웃듯

마냥 안 다가올 줄
무심코 먼 곳으로만 던졌던 추억들
그리고 말들 결국은 눈앞으로
더 가까이
더 가까이.

크면서

이다윗

글쎄다
이 주제는
모르겠다.
라고 넘기기 참 어렵게
생각이 많아졌다.

어른들 앞에 나서
마냥 앞장서 했던 말들이
부끄러워지고
툭하면 일어나 괴롭히는
배의 부담스러움.

이제는
좀 더 크고 나면
이걸로 글 한번 더 써봐야지
이 생각밖에 없다.

어른 돼서 잃어버린 무언가에
이런 글이 또 써질진

모르겠지만.......

(저는 어렸을 때 어른들 앞에 나서서 새로운 시를 발표하며
낭송하는걸 참 좋아했습니다.
하지만 사춘기를 거치고 20대를 앞두고 있다보니
예전에 했던 것들에 대한 부끄러움도 생기고
성격도 점잖고 과묵해졌습니다.
지금 와서 생각해보면 막 수다스럽고 말 열심히 하던 그때도
물론 그립긴 하지만
지금의 저 또한 사랑하지 않을 수 없기에 스스로를 한번
표현해 본 시입니다.
어른 돼서 잃어버릴 무언가, 즉 순수함을 지키려고
몸부림치고 있네요)

엄마 생신 날

이다윗

엄마 생신 날
이 두근거림은 무얼까
엄마 생신 날
이 설레임은 무얼까

엄마 생신 날
작은 희망의 촛불
하나 더 밝혀 드리고 싶어
기쁨의 창문 활짝 열고
마음의 종 새로 달았다.

엄마 생신 날
나를 깨운 마음의 종소리
앞으로는 이 마음의 종
항상 달고 살아야지.

내 마음 속
공장의 문을 닫고
효도라는 이름의

빛나는 구슬을
엄마 마음속에
가득 안겨드려야지.

두근대는 생각과
설레는 마음으로 보내는 엄마 생신
행복의 물결 넘쳐 흐르네.

엄마 생신 날
밤에 떠오른 수많은 별들처럼
나도
엄마 생신을 멋지게
장식해드려야지.
엄마 마음속에
기쁨의 종소리
울려 퍼지게 해드려야지.

책들의 절규

이다윗

"빠짐없이 읽어!"

강제스런 말투.

아직도 저희 세상인줄 아는
옛 책들은
이렇게 말하며
얼굴을 비칠 때,

"한 페이지만 읽어 주세요"

벌써
먼지가 묻은 새 책들이
더욱 열심히
옛 책들 몫까지의 눈물로
간절히 호소하네.

비록
자신들이 내용으로 품던

정보들을
모조리 잡아먹어 버리는
컴퓨터가 있지만

제대로 안 팔려 나가도
우리만의 장점이 있다며
뜨겁게 어필하고
가끔은
하얗게 절규해도
결국은 불굴의 노력하는
책들.

컴퓨터만 해도 불편한 것
없을 때
괜스레 미안해서
오늘도 한 번 펼쳐보네.

시간의 퍼즐

이다윗

만나면
너무 금세 헤어지라 하는
시간이란 이름의
퍼즐 한 조각

그 마지막 한 조각이
너무도 빠르게
퍼즐 전체를 완성시켜
"이젠 시간이 됐어"
말하면 거부할 수는 없지만

비록 빠른 헤어짐에도
간직하고
자꾸만 새로워져야 하여
슬프기도 하네.

다음은,
아니 이젠 당장 과거가 되어버린
현재부터,

그리고 앞으로도
시간의 퍼즐이 좀만 늦게 맞춰져
최대한 오래 계속되었으면......

(제가 다니는 복지관에서 유독 짧게 물리치료
수업을 받고 헤어진 선생님이 계셨는데
너무 빨리 헤어지는 아쉬움에 마지막 날 그분께
써드린 시입니다)

시계

이다윗

'불평 불만'
'부정 부패'
'왈가 왈부'
도 아니고

'잔소리'
'걱정이란 명목하에
참견, 간섭'+
'불의 묵인'
도 아니며

('　　' 이 (가) 실종된) '침묵'
또한 아닌

(시곈)
뚝심 있게
똑딱 똑딱만
거리네.

전혀 소리를 안 내는 것 도 아니고
똑딱이라는
고유의 소리가 있으니
누군가에게는
거슬리는 소리 될 순 있어도

분위기에 안 휩쓸릴 수가
절대 없는
이 시대에

묵묵히
길고 짧은 '선' 지키며
그저 똑딱만 거릴 수 있는,

즐거운 시간이든
지루하고 무기력해지는 시간이든
다 지나감을 알려주며
이젠 거의 다 지나왔다고
몇 번은 희망의 알람도 울려주는
그런 시계.

그런 시계 같은 마음의
사람이 되고 싶네.

신호등

이다윗

세 가지 이외에
절대 달리하지 않는
오직 한번 정한 색채만이 분명한
신호등.

마음먹기로 직접 달리해야 하나
선뜻 엇나갈 순 없는
공과 사 분명한
신호등의 자세로

일상 속 만나는
여러 불빛들의, 불빛들의
그 소중한 의미가
껍데기만 남지 않게

그저 세 가지 불빛만 있는
때맞춰 불빛만 바뀌는
아무도 안 지키는
미지근하고 형식적인

삭막한 결말로는 맺어지지 않게
그저 불빛의 의미만은
존중하고 따라 주기를...

발자국

이다윗

흔적만 남기고
도망가 버렸습니다.

겨울날 사냥꾼을 피해
도망가 버렸습니다.

사냥꾼에게
나 이쪽으로 갔음

이런 흔적을 남기고
저 멀리 도망가 버렸습니다.

(제 첫 창작 희곡 "발자국"의 모티브가 된
소중한 시입니다)

효자손

이다윗

이제 우리에겐
안마기가 있다.
(자랑 아님)

"이것보단~저것보단~"
이런 말을 당연히 받아들여야 하는
누군가를 대신해서

'효자' 자
앞에 안 붙어도 효자일 수 있다는

온 힘을 다해 뻗는
팔목의 훈수 없이도 간결한
새로운 기술의
누군가로.

그렇게
시대는 새롭게 새롭게
계속 흘러가지만

높고 좋은 안마기만을 바라는
세상 속에서
그래도 최소
안마기보단 덜 시원한
당연히 덜 시원한
하나의 효자손 정도는
종종 되어서
겸손히
가슴 따뜻하게 살고 싶네.

대척점

이다윗

외길을 걸었는데
그것만으론 이제 안 된다는
그동안 하나도 못 들어본
새로운 이야기.

새 도형이 무엇이고
각도가 몇 도고
모양 이름이 뭐고
간에
이젠 붙는다는
이젠 무언가든 붙는
지금이란
새로운 페이지.

실전이라는 이름하에
조금 별나게 걸어온 인생은
늦었더라도 초기화 재 시작이라
냉혹함은 외치고

조금 다른 곳에서의 내 이야기도
페이지로 붙여 분량으로 정해야 하는,
정한 대로 어서 완결을 내보라는
현실이란 원고.

이젠 그동안의 글들과
외길의 시들이 만나
완벽한
대척점을 이루네.

장마 비

이다윗

청량한 목소리
활동적인 춤선
아님
고고히 그리는 중인 무언가가
닿으면 분명 있는
과묵함.

모두가 다르지만
모두모두
각자의 리듬에

내리고
내리고
내리고
내리고
내리고
내리고
내리고
내려서

귀찮은 듯 몇 마디 던져 주거나

요란히 수다를 떨거나
또.....
또.....
또.....
또....
또....
또....
심한 고민 하는 리듬도
역시나 함께
장마 비 이루는
빗소리
또는 물소리.

휘젓는
몸짓이 무엇이거나
장맛비는
상관없이
끊임없이
필요한 어딘가
어딘가로 계속
무한히...

그저 내리면
갈 수가 있네.
퍽 도움이 되네.

책

이다윗

누군가가
먹고 남긴 지식
마치 담가 놓은 것만 같은
요즘 책.

넘치는 먹성의,
정보 식욕의
수많고 든든한
누군가들의 홍수에도

그 무분별에 대한
설거지는
책이 해야 하기에
여전히 함께하는 것이리라.

삐죽 튀어나온
글 묻힌 입술
책갈피.
책갈피와

때론 날카로운 손발톱
때론 부드러운 살점
때론 밑에 낄 떼도 될 수 있다는

그의 다재다능 손가락
마디마디
한 줄 한 줄을
독서로
살펴 주고 싶네.

자유 시간

이다윗

주제
자유 시간이니
이건 이렇고 저렇고
굳이
안 쓸게요
자유 시간이니까.

이건
초급.

"토화승트하
제자부야영사쁘버
콘종손좋
케좋셉좋컴스
트만
대그예...."

각자만의
분명한

알 수 없을 중얼거림 품음이,
표출이.

진정한
자유 시간이네.

(각자의 외계어를 " 부분에 넣어서 읽으시면 됩니다.
저는 축구팀 토트넘의 팬이라 저의 관심사를
외계어로 만들어서 토트넘을 응원했습니다.
자유 시간에 모두의 외계어는 존중 받을
필요가 있다는 생각으로 써본 시예요.)

바다

이다윗

촐싹 촐싹
숫자 세고
철썩 철썩
계산기 두둘기는
파도의 손톱 소리.

수학에 얼마나
진심이면
물과 뭍의 경계선
그리도 정확할까

본인이 하고픈 건
손뼉 치는
물결로든
진지해야 할
풍랑으로든

끊임없이 그것을 밀어야 하네.

정설로
정설로.
이과적으로.
이과적으로....

신념이 있어
그 망망대해
모든 것 품고
보물창고라 불리는
것이겠지.

그래도 아픈 건
서정적인 사람들의 머리로
도움을 받길....

(마치 바다가 성격이 계산적이고 수학적인 쪽이라
아프다는 걸 본인이 못 받아들이고 있다는 식으로
반대로 표현해 해양 오염 문제를 역으로
청중에게 던졌습니다. 또 마지막에
계산적인 것과 서정적인 것이 둘 다 균형있게
필요하다는 교훈으로 마무리했습니다.)

환절기

이다윗

"계절 버스 환승합니다"

허겁지겁 급하게 공지할
필요는 없잖아?

나 환승이요~ 하는
호외를
요란히 알려야만
속이 시원하겠니?

전단지 시대
신문 시대
다 지나갔다구!

그러거나 말거나
지금이
어떤 숨인지 모르게
계절 일동 숨 참고

서로 기록 세울 듯한
감기만을
남발하네 좋아하네.

(어릴 때 목욕탕 가면
가장 좋아했던
잠수 내기를 아이디어로
"계절들이 숨 참는 시기"
라고 표현해 봤습니다.
잠수 기록을 세우듯이 승부욕 불태우는
계절들은
감기 남발을 좋아할지 모르지만
저는 싫답니다.
당연해서 뒷 내용은 안 넣고 끝냈습니다.)

잔소리 2

이다윗

탄산이든
식혜든
스무디든
수정과든
버블티든

안쪽에 무엇을 따라 놨는지
모르긴 몰라도

한 번쯤 깨져야만
조각조각이 내는
소리의 소중함을
알게 된다네.

무려
와인이 들어있었노라
무모한 원망도
투샷 쓰리샷
돌려 마시는

허세도

깔끔한 원샷으로
불평의 음료 싹 비우고
깨질 일 없게
잔소리 그만 듣고 싶네.

(도입부, 전통음료와 최근 음료를
번갈아 나열해 리듬을 살렸습니다.)

부활

이다윗

꽉 막힌 말씀의 돌문
확실히 열어 젖히고

아직도
로마 경비병들이 지키는
우리네 마음 무덤 안에
새로이 예수님을 영접해야 하네.

고통의 가슴
안타까운 마음
아픔의 눈물들
회복시켜주시는
예수님의 부활.

우리들 품어 주신 손 못 자국
구원을 위해 달리신
발 못 자국 보며
무지한 나 이젠 알았네
부활의 기쁨.

세마포만 남기고 승천하신
부활의 의미.

머리카락

이다윗

참 빨리도 자라는구나.
영양분이 다
그리로 가나?

툴툴거리는 몇 마디
던질 뿐
하늘 높이 자랄 건지
아래로 자라서
자꾸만 눈을 찌를 건지
정하지 않아

도무지
속 뜻을 모르겠네.

재촉의 가위질
댈 때까지
신나게 계속되는
검정빛 연필질.

길게 늘어진
머리의 글씨체
머리카락 한 줄 한 줄들이
미용실 갈 때까지
머리 위에서
한참 늘어진 글감을
자랑하네.

계속 그러면
지루한 글 되기 전에
잘라야지.

낙엽

이다윗

꽉 잡고
하나둘 쓰여지며
떨어지는 나무의 연필
낙엽,

연필을 잡아 글을 쓰듯
시원시원한 글 제안은
사계절 다
매력 있게
화려하게.

집필 집중은
절정의 연말에.
나무 작가의 마감일은
수수한 갈색.

너무 수북히
써 내려온 나무의 글
낙엽.

슬프게도
사람들은
그 기발한 글들을
아름다운 서사를
장편 소설을
치우네.

승마

이다윗

끄덕 끄덕
끄덕 끄덕
모든 게 다 들어 있다고 얘기하는
투레질 소리
말발굽 소리.

안장 안경 차고
당근 먹고
헐렁하지만
다리 걸개 걸고
힘차게 출발하면

헐렁함과 안경
둘 다 가지고서
눈 밝은 당근 가지고 싶은

어느 별빛과
그저 끝없이
끝없이

속보로 달리네.

(크면서 생긴 야망과 저의 현실을 표현한 시입니다.)